A Wee Book o Fairy Tales

in Scots

With thanks to Margaret Foley

First published 2003
by Itchy Coo

A Black & White and Dub Busters Partnership
99 Giles Street, Edinburgh EH6 6BZ

ISBN 1 902927 80 X

A CIP catalogue record for this book
is available from The British Library.

Layout and Design by Creative Link, North Berwick
Printed and bound by Bookprint S.L., Barcelona

A Wee Book o Fairy Tales

in Scots

Matthew Fitt and James Robertson
Illustrated by Deborah Campbell

CONTENTS

THE THREE WEE PIGS

Lang lang ago in the days o lang syne, there were three wee pigs.

And wan o these grumphies wis a roond wee puddin cawed Johnny the Dowper.

Johnny the Dowper's best pal wis a daft dumplin o a pig cawed Slaverie Sam.

And the third o this three wis a tottie wee grumphy wi tottie wee lugs that everybody jist cawed Alan.

Wan day Alan, Slaverie Sam and Johnny the Dowper were sittin on the ferm midden. The three piggies were busy haein a piggie blether.

"See that big yett?" Johnny the Dowper said. "Whit's behind it?"

"Nothin for pigs," replied wee Alan. "Dinna you mind it."

"Nothin, ye say?" cried Slaverie Sam. "Dinnae be a daft skate.

The World, Johnny lad, is ahint that gate."

"The World. O ya beauty. The World." Johnny the Dowper lowped up and doon then stapped.

"Whit's the World, by the way?"

"It's fou," said Sam, "o food and drink and places tae play."

"Let's go," fidged Johnny. "Pit on your bitts, pit on your claes,

We cannae sit aboot this midden aw wir days."

"But this is oor hame," said Alan. "Dinna forget

Aboot aw the braw food and swill that we get.

This ferm is safe and waarm and comfy –

Jist the job for a wee grumphy."

"By aw the hair on my broostlie beard,"
laughed Sam,
"I think this tottie piggie's feared."
"Just caw canny is aw that I'm sayin,
Cause neither o yous kens whit ye're daein."
"We're daein whit we waant and we're gettin oot.
Stay at hame if it's botherin your snoot."
"Well, I dinna think grumphies should ever
leave their ferm,
So I'm comin wi ye tae keep ye fae herm."
They werena very far fae the fermer's yett
when Johnny the Dowper saw a mannie wi a
cairtie filled wi straw.

"Haw, mannie wi the barra,
I'll be your best cocksparra.
Gonnae gie's a daud o straw
So I can build a roof and waw
And hae a hoose that winna faw?
Haw, mannie wi the barra."

"Aye, nae bother," said the mannie and haundit Johnny a great big daud o straw. The ither twa grumphies cairried on their road leavin Johnny alane tae bigg his hoose. Efter he had finished, he wis awfy happy and he sat doon tae hae a rest. In a wee while, an auld grey wolf came by and keeked in through the windae.

"Wee pig, wee pig," said the wolf. "Can I come ben?"

"Whit? And let in a wolf that I dinna ken?
I'm in my hoose and I'm no feared.
By the hair on my broostlie beard
Away ye go, ye big hairy cloon."

"Then I will hech and I'll pech and I will blaw your hoose doon."

And the wolf heched and he peched and he blew the hoose doon and ate the wee pig wi a gollop. "Yon wis braw," he said.

Further doon the road Slaverie Sam met a mannie wi a cairt fou o widd.

"Hey, mannie wi the cairt.
Gonnae be dead guid
And gie's a daud o widd
So a hoose I can bigg
That'll stand ticht and trig?
Hey, mannie wi the cairt."

"Aye, nae bother," said the mannie and haundit Sam a great big pile o widd. Alan cairried on his road leavin Sam alane tae bigg his hoose. When he had finished, he sat doon tae hae a sleep. In a wee while, the auld grey wolf daundered by and keeked in through the windae.

"Wee pig, wee pig. Can I come in?"

"Ye think I'm daft? Ye think I'm blin?
This is my hoose and I'm no feared fae you.
By the hair on my broostlie mou
Away ye go, ye big ugly loon."

"Then I will hech and I'll pech and I will blaw your hoose doon."

And the wolf heched and he peched and he blew the hoose doon and ate the wee pig wi a gollop. "Yon wis awfy braw," he said.

Further doon the road Alan met a mannie wi a bogey fou o stanes.

"Excuse me, sir, if ye dinna mind,
But would ye be sae awfy kind
And gie me a len o some o your stanes
Tae keep oot the snaw and keep aff the rains?"

"Aye, nae bother," said the mannie, and Alan soon biggit a big braw hoose. Afore very lang, the auld grey wolf came by and chapped on his door.

"Wee pig, wee pig. Come oot and say hello."

"If it's aw the same tae you, sir, I'd raither no. It's late and I'm wabbit and I'm awa tae my bed soon."

"Then I will hech and I'll pech and I will blaw your hoose doon."

And the wolf heched and he peched but nae matter hoo hard he heched and hoo sair he peched he couldna blaw doon the hoose o stane.

"This is no real," said the wolf. "I'm puggled. I'm peched. I'm fair puffed oot.

But I will soon eat this wee pig. Hae nae doot."

So the wolf said, "Wee pig, wee pig, are ye gaun tae the shows?"

"Oh aye," said Alan, "by aw the hair on my wee grumphy nose.

They'll hae a Hauntit Hoose and dodgems and swings

And I've never had a shot at ony o thae things."

"Well, see the morra, if it isna bad weather,

The baith o us can go doon thegither."

"Naw," said Alan. "I'll meet ye there. Let's meet aboot three."

"Three's fine," said the wolf, lickin his lips. "That's jist afore tea."

But Alan the grumphy went doon tae the

fairgroond an oor early. He went on the swings and birled roon on the dodgems and gied himsel an awfy fleg in the Hauntit Hoose. And when he couldnae eat ony mair candy floss, he came hame tae his hoose o stane.

In a wee while, the wolf chapped on his door.

"Wee pig, wee pig. I didnae see ye at the fair."

"That's because I wisnae there.
I went doon mysel – noo wisnae that crafty?
So you couldnae eat me, ya silly auld dafty."

"Is that so? Well, you've had it noo, chum.
I'm gonnae climb right doon your lum."

And the wolf lowped up ontae the roof, ready

tae climb intae Alan's chimney. But he didnae ken that Alan had a muckle big fire bleezin in the grate wi a muckle big pot fou o watter bilin awa on it.

The wolf fell doon the lum, straight intae the pot and the pig biled him up and had him tae his tea. And Alan the grumphy lived happily ever efter in his braw stane hoose.

CINDERELLA

Lang lang ago in the days o lang syne, there wis a young lass cried Cinderella.

Cinderella wis affy bonnie. She wis that bonnie the birdies on the trees chanted her name and the flooers in the gairden turned their heids and smiled.

And Cinderella wis an affy kind lassie.

If a bairnie got lost on the way hame fae school, she would bide wi them until the bairnie's mither came and foond them. If a dug got a skelf in its paw, she would tak it oot wi her saft gentle hands. And if she saw an aald man chitterin wi the caald on a winter's day, she would gie him a len o her jaiket. Cinderella wis kind tae aabody.

But Cinderella had twa sisters that werenae kind tae onybody.

Ane o the sisters wis cried Bumbledina.

And the ither sister wis cried Hinkellydoo.

Bumbledina and Hinkellydoo werenae very nice

tae Cinderella. The sisters made her dae aa the work in the hoose. Every day startin at six in the mornin, Cinderella had tae clean oot the bathroom and howk up weeds in the gairden and polish the kitchen flair until she could see her face in it.

When she wis finished, the twa sisters made her sleep under the kitchen table. They gave her scraps o breid tae eat and dirty aald claes tae wear. But worst o aa, they follaed her roond the hoose aa day tellin her that she wis ugly and that she wis hackit.

"Cinderellae, Cinderellae,

She's got legs like an umberellae.
She's so ugly, she's so hackit
Took yin look and the mirror crackit.
Face like a coo, lugs like a rabbit,
Ayeways greetin, ayeways crabbit."

Bumbledina and Hinkellydoo thocht themsels the maist beautiful lassies in the toun and they would sing tae each ither while they pit slabberins and slaisterins o make-up ontae their faces wi a trowel.

"We're the bonniest quines that's ever been,
The bonniest quinies the world's ever seen."

But the affy truth wis that Bumbledina had a

face like a cuddie. And the even mair affy truth wis that Hinkellydoo had a face like that same cuddie's back-end.

Even when the sisters' hackit faces were hidden under hunders o make-up and even when they pit on their finest, maist expensive claes,

Bumbledina and Hinkellydoo were still as plain and as ordinary as twa tumshies in a field.

But Cinderella, wha didna wear ony make-up at aa and only had raggedy aald cloots tae dress up in, wis aye as bonnie as the first rose o summer.

Ane day, an invitation came fae the royal palace. Bumbledina read it oot.

"Bonnie ladies, lassies, aa,

Please attend the Prince's Ba!"

In the blink o an ee, the twa hackit sisters were busy tryin on claes and pittin flooers in their hair and batterin make-up ontae their faces.

"The king's son is haein a dance.
Oh sister dear, this is oor chance."
"I ken, sister hen, and I'll bet on my life
That yon handsome wee prince is efter a wife."

Cinderella sighed. She would love tae go tae the dance but she had nae fine claes tae wear. She didna even hae ony shoes. Politely, she spiered the sisters if they would tak her wi them.

"That prince needs a kind sensitive wummin," said Hinkellydoo, pickin some tatties oot o her lug. "So jist you forget it – you're no comin!"

And the twa hackit sisters, aa clattied up wi

lipstick and comin doon wi jewels and pure bowfin wi perfume, went stoiterin aff in their high heels tae the palace withoot her.

Cinderella sat doon aside the lum and started tae greet.

"Wha's stole your scone, my wee darlin?" said a voice.

Cinderella looked up but there wis naebody there.

"Wha's taen your bonnie smile, my wee dumplin?" said the voice again.

When Cinderella looked up this time, she saw an aald lady in a white goun wi lang grey hair

that shimmered wi glisters and sparkles.

"Tell me whit's wrang, my cushie-doo," the lady asked.

"I cannae gang tae the dance," said Cinderella. "I'll never see the prince noo."

"Never say never and dinnae say cannae.
I'm here tae help ye. I'm your Fairy Grannie.
There's nothin can stap us, nothin at aa.
Cinderella, my dear, you will gang tae the Ba!"

The poor lassie wis confused. "But how, Fairy Grannie?"

"Nae time tae waste, nae time tae sleep.
Away oot tae the gairden and bring me a neep."

"A neep?" said Cinderella. "But Fairy Grannie, whit will ye do?"

"A muckle big tumshie, lass. Bring me ane noo."

Cinderella gaed tae the field and foond the biggest neep there and brocht it tae her Fairy Grannie. The aald lady clouted it wi her magic wand. Instantly the neep turned intae a beautiful golden cairriage.

"Next," said her Fairy Grannie. "Gang ben the hoose

And bring me yon trap that ye keep for the moose."

Cinderella gaed ben the hoose and brocht her Fairy Grannie the moose trap. When she opened it up, oot ran six broon mice. Fairy Grannie skelped each moose on the dowper wi her magic wand and the six mice turned intae six fine cuddies.

Then Cinderella had tae catch the ratton that lived under the pipes in the kitchen and her Fairy Grannie turned that ratton intae a big strang driver for the cairriage.

Then Cinderella had tae go oot tae the gairden and dig up six forkie-tailies and her Fairy Grannie turned thae forkie-tailies intae six smert footmen.

"Noo, young lady, whit can ye wear? And whit on earth will we dae wi your hair?"

Fairy Grannie waggled her wand ower Cinderella's aald claes and aa the raggedy cloots wove themsels thegither intae a gorgeous silken goun. Wi anither swirl o magic, Cinderella's hair wis kaimed and brushed and curled like a princess's on her weddin day. And wi yin last dab

o the magic wand, Cinderella foond on her feet a pair o gless slippers.

"Oh, Fairy Grannie!" exclaimed Cinderella, near greetin wi joy.

"Away and enjoy yoursel," the kind aald lady said. "Hae hunders o fun.

But be hame afore twelve or aa will be undone,

Be hame afore twelve or it will aa be undone."

And so Cinderella did gang tae the Ba and the young prince would dance wi naebody else the hale evenin. Roond and roond the dance flair they went. The young couple didna speak. They

jist stared intae each other's een as the music cairried them roond the palace ha.

And aa the royal guests could dae wis gossip and gab aboot the mysterious young lass.

"Wha is she? Where is she fae?"

But naebody kent and naebody could say.

Even mair than usual, Bumbledina's and Hinkellydoo's faces were trippin them.

"That wee besom, sister dear, is dancin wi oor future groom."

"C'moan, we'll gie her a guid hard kick, next time they come aroon."

And Bumbledina and Hinkellydoo baith tried

tae jundy the young woman oot o the road and dance wi the prince theirsels but the royal guards cairted the hackit sisters aff and pit them for a nicht in the dungeon.

Cinderella wis enjoyin hersel that much she forgot aa aboot the time. She wis still dancin wi the prince when the clock chapped twelve.

Wi a gasp, Cinderella slipped oot o the prince's airms and ran doon the palace steps and lowped intae her cairriage. The prince raced efter her tae spier her her name but the cairriage had disappeared roond the corner. When he looked doon, he saw ane o Cinderella's gless slippers lyin on the groond at his feet.

Halfway hame, the tall smert footmen turned back intae scaly forkie-tailies.

And the driver turned back intae a big clatty rat.

And the six strang cuddies became yince again wee broon mice that scurried aff intae the dark.

And the beautiful golden cairriage changed back aa o a sudden intae a neep.

Poor Cinderella.

She walked the rest o the way hame in her raggedy aald claes holdin the neep under her oxter and thinkin she would never see the prince again.

But the very next day, the prince chapped on Cinderella's door.

"I seek the foot that this come affy!

Is this yours, this crystal baffy?"

Bumbledina and Hinkellydoo came thunderin doon the stair like a pair o stampedin coos and

pushed Cinderella aside.

Bumbledina grabbed the gless slipper fae the prince.

"He's here for me. This is it.

This thing belangs on my wee fit!"

But Bumbledina couldna get the gless slipper ontae her muckle foot.

"Oot o the road!" shouted Hinkellydoo. "I'm next in line.

I bet that tottie baffy's mine."

But Hinkellydoo couldna get the gless slipper on either for aa the warts and bunions bealin on her taes.

Then the prince looked ower at Cinderella. "Whit aboot this lassie here?"

"Nae chance, prince," the sisters said. "Nae way, nae fear.

"Yon's jist oor sister, Cinderellae.

She's too hackit, poor and smelly."

But when the prince pit the slipper ontae Cinderella's foot, it fitted her perfectly.

The prince looked intae Cinderella's een and he saw at yince that she wis the bonnie lass he had danced wi the nicht afore. They were mairried the very next day and whenever the prince and Cinderella held a Royal Ba, they

ayeways invited the palace servants tae the dance.

And as for Bumbledina and Hinkellydoo, they ended up as Cinderella's maids and they had tae polish the palace flairs every mornin until they could see their hackit, crabbit faces in them.

RUMPELSTILTSKIN

Lang lang ago in the days o lang syne, there wis a poor miller. And this miller had a bonnie, bonnie dochter. Yin day the miller had tae go tae the palace tae sell the king some corn. He wanted tae mak himsel look guid in front o the king, so he said,

"See my dochter, she's bonnie and she's braw,
But better than that, she can spin gold oot o straw."

The king wis a greedy man and his lugs waggled when he heard this.

"Weel, my mannie," he said, "send her here the morn.
We'll see if her gold's better than your corn."

The next day the miller's dochter came tae the palace. The king took her intae a room fou o straw, and gied her a spinnin-wheel and a reel, and said tae her,

"Noo sit ye doon, lass, and birl the wheel,

And spin this straw ontae the reel.
And if by the morra it's no aw gold threid,
I'm sorry tae say, I'll chap aff your heid."

Then he barred the door and left the lassie tae it. Weel, the miller's dochter jist grat and grat, for she'd nae idea hoo tae spin straw intae gold. But afore lang, the door opened, and a wee, wee man came in. He wis the maist hackit wee man she had ever seen. And he said tae her,

"Aye, bonnie lass, here's a fine meetin.
But tell me this, whit wey are ye greetin?"
"The king thinks I can mak gold oot o straw.
But I canna dae it – it's nae use at aw."

"I can dae that," the wee man said. "Dinna you bubble. But whit will ye gie me tae pey for my trouble?"

The lassie took the necklace frae roon her neck, and haundit it ower. The wee mannie pit it in his pooch, sat doon at the wheel and birled it three times – *BIRR! BIRR! BIRR!* – and the reel wis fou o gold. He pit on anither reel – *BIRR! BIRR!*

BIRR! – and that reel wis fou, tae. Aw nicht the wee man birled the wheel, and in the mornin, when he jinkit awa, aw the straw wis turned tae gold.

The king wis fair beside himsel wi joy, but the sight o aw that glisterin gold jist made him greedier. He took the miller's dochter tae a bigger room, wi even mair straw in it, and he said,

"Noo sit ye doon, lass, and birl the wheel,
And spin this straw ontae the reel.
And if by the morra it's no aw gold threid,
Ye'll leave me nae choice but tae chap aff your heid."

The lassie wis jist sittin doon for anither guid greet, when the door opened and in lowped the wee, wee man.

"The wey thon king treats ye," he said, "it's a crime.

Noo whit'll ye gie me if I help ye this time?"

The lassie gied the wee man the ring aff her fingir, and he pit it in his pooch and sat at the wheel, and *BIRR! BIRR! BIRR!*, he began tae spin. And by the morn's morn he had spun aw the straw intae bonnie glisterin gold.

When the king saw this, he ran aboot the palace like a dug wi twa tails, but he wis still

greedy for mair gold, so he pit the miller's dochter in a huge muckle room where she couldna see the windaes for straw, and he said,

"Noo sit ye doon, lass, and birl the wheel,
And spin this straw ontae the reel.
Turn it tae gold or I'll tak your life,
But if ye can dae it, I'll mak ye my wife."

For the king wis thinkin tae himsel,

"Her faither may be a poor stoorie miller,
But she'll mak me

richer than a princess wi siller."

Efter he had gane, in came the wee mannie and said,

"Haw noo, lass, it's a queen you are tae be?
If I spin the straw *this* time, whit will ye gie?"

But the miller's dochter had naethin left tae gie him. So the wee man said,

"Tell ye whit, then, I'll mak ye a deal.
If I spin this straw intae gold at the wheel,
And you become queen, the first bairn ye hae
I'll tak for my ain – how will that dae?"

The lassie agreed, for she didna ken whit else tae dae, and onywey, she thocht,

"Whit's the chance o *me* bein a queen?
There's mair chance o the sky turnin green."

In the mornin, the king foond the hale room fou o gold, and he kept his promise and mairried the miller's dochter, and didna threaten tae chap her heid aff ever again.

A year passed, and the queen had a bonnie bairn, and she wis awfy happy and soon forgot aw aboot the hackit wee mannie. But wan day he came jinkin intae her room and said,

"Haw, my braw queenie! Michty, look at *you* !
I've come for my bairn – I'll jist tak him noo."

The queen wis at her wits' end, and telt the

wee man he could hae onythin else he wanted – aw the riches o the kingdom – if he would let her keep the bairn. But the mannie said,

"Naw, naw, queen, we'd a deal worked oot.
It's no my fault if it doesna suit.
Siller and gold mean naethin tae me.
Your bonnie wee bairn is whit ye must gie."

The queen grat and grat, and wouldna gie him her bairn, till at last he took pity on her.

"Awright, queen, tae save your wean

I'll gie ye three days tae guess my name.
If ye havena got it by the end o that time,
Ye'll hae had your chance, and the bairn will
be mine."

The queen sat up the hale nicht thinkin o aw the names she could, and she sent a servant far and wide tae ask for ony ither names she didna ken. And on the first day, when the wee mannie came, she tried oot names like Torquil, Dermot and Farquhar, and when nane o them wis richt, she tried Wullie, Geordie and Shug, but tae each name the wee man gied a wee lowp and said,

"Naw, queenie, naw. Sorry, hen.

That's no my name. Try again!"

On the second day, she tried oot mair unusual names, like Clartybreeks, Loppylugs, Neepheid and Jeelyfingirs. But the wee man jist gied a wee lowp and said,

"Naw, queenie, naw. Sorry, hen.
That's no my name. Try again!"

On the third day, the servant she had sent awa came back tae the queen wi an odd tale:

"A lang, lang journey I hae taen,
And I didna hear a single new name,
But deep in the widds last nicht I spied
A wee, wee hoose wi a fire ootside.

A wee, wee man danced roond the fire,
And he sang as he danced, and he didna tire:
O whit a clever loon I hae been.
The morra I'll hae a bairn frae the queen.
For naebody kens tae tell the dame
That Rumpelstiltskin is my name.
Aye, naebody kens tae tell the dame
That Rumpelstiltskin is my name!"

So when the wee man came in tae see the queen a while later, she tried oot a few ither names first, such as Horace, Marmaduke and Jock. But tae aw these the wee man cried,

"Naw, queenie, naw. Sorry, hen.

That's no my name. Try again!"

"Weel, then," said the queen, "I'm done in –

Unless your name is Rumpelstiltskin?"

At this the wee man flew intae a fury. "Somebody's telt ye! Somebody's telt ye!" he roared, and he stamped his left fit that hard it went straight through the flair, and then he pulled his ither fit that hard he tore himsel in twa, and that wis the end o the wee, wee man. And the king and queen and their bairn lived happily ever efter in their muckle braw palace.

Snaw White

Lang lang ago in the days o lang syne, there wis a beautiful queen and this queen had an auld magic keekin-gless.

Aw day and every day, the queen stared at hersel in this gless, spierin the same question ower and ower again.

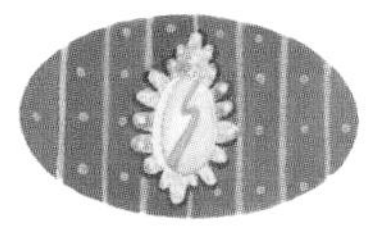

"Mirror, mirror, on the waw,
Wha's the bonniest o them aw?"
And the mirror telt her,
"Oh, queen, I cannae tell a lee.
The bonniest o them aw is ye."

And it wis the same the next day.

"Mirror, mirror, you're my pal,

Tell me wha's the brawest gal."

"Queen, whit I hae tae say is true.

The bonniest lass o aw is you."

And the day efter that.

"Mirror, gonnae tell us wance again."

"Queen, you're a stoater. Ten oot o ten!"

Aw day and every day the queen spiered wha wis the maist beautiful and the keekin-gless aye answered that it wis her.

But wan mornin the queen got oot o bed and spiered the mirror her favourite question.

"Mirror, mirror, whit dae ye say?
Wha's the bonniest lass the day?"

But this mornin the keekin-gless held its wheesht.

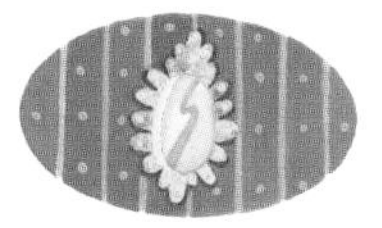

"Come on, wauk up! Rise and shine.
Tell me I'm the bonnie quine."
But still the mirror didna say a word.
"Come on, whit's goin on? This isnae fair.
Am I no the bonniest ony mair?"

The queen's face turned aw peeliewally. She wis feart whit the mirror would say.

"I wis the bonniest," shouted the queen. "You telt me last night."

"But the bonniest this mornin," replied the gless, "is young Snaw White."

The queen shoogled wi anger. Snaw White wis her step-dochter and although she loved the

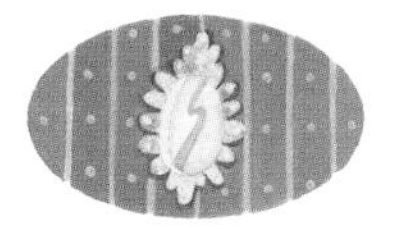

lass, she loved hersel even mair.

"Snaw White is a traitor. Snaw White is nae guid.

Guards, tak her and leave her in Babbarty Widd."

Babbarty Widd wis a muckle dark place fou o crabbit wolves and bears. The palace guards took young Snaw White intae the middle o the widd and left her alane.

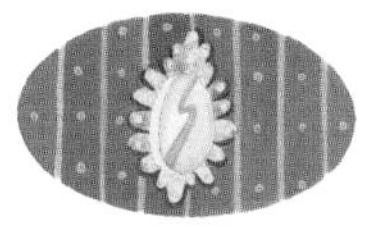

Snaw White wis awfy, awfy feart. She didna ken whit she had done tae mak the queen so angry. Greetin, she ran through the forest, no thinkin where she wis gaun. She hurt her feet on sherp stanes and the branches o trees skelped her airms and legs. Snaw White wis jist aboot tae gie up and lie doon tae wait for the craws tae come and pick oot her eyes when she saw a wee hoose.

Snaw White chapped on the door. There wis nae answer, so she went ben.

Inside the hoose, she saw a table set oot wi seeven wee plates fou o tatties and breid and

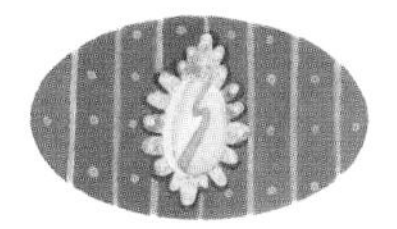

seeven wee cups fou o juice.

Snaw White wis that hungry she ate up aw the tatties and scoffed aw the breid and guzzled doon aw the juice.

Aside the table, there were seeven wee beds wi seeven wee pillaes.

Snaw White wis that wabbit she lay doon on the first bed. But it wis too wee for her. She tried the second yin but that wis too wee for her and aw. She tried aw the beds until she came tae the seeventh yin. That bed wis fine so she lay doon on it and fell ower intae a deep sleep.

That evenin when it wis dark, the owners o the

hoose returned. They were seeven dwarves that had been howkin gold oot o a nearby mountain aw day and they were sair tired and gey hungry.

But when they lit caundles tae see better, they kent immediately that somethin wis wrang.

"Hey, whit eejit's been at my tea?" spiered the dwarf cawed Greetie.

"Tellin ye noo, it wisnae me," replied the dwarf cawed Luggie.

"Somebody else has been in oor hoose," cried Nebbie.

"And that somebody has stolen my juice," howled Crabbit.

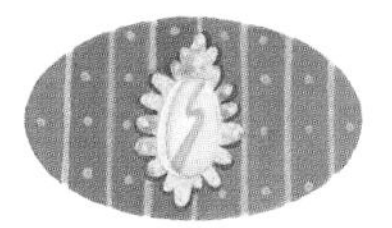

"And aw the tatties and the breid," yelled Glaikit.

"That somebody will soon be deid," roared Minger.

Then Big Heid, wha wis the auldest and wisest o the seeven dwarves, said,

"Dinna panic, lads. Dinna fear.

See, oor wee guest is sleepin here."

And the dwarves looked and they saw Snaw White asleep in yin o the beds.

"Get oot my bed," said Greetie. "Thon's no fair."

"Haud your wheesht," said the ither dwarves. "You sleep on the flair."

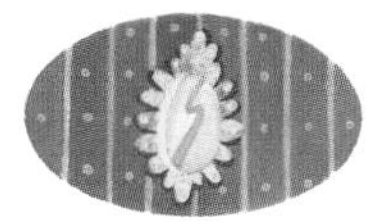

"She's such a sad bonnie wee craitur," said Big Heid.

"She'll bide wi us until she feels better."

And the dwarves let Snaw White bide wi them in their hoose.

Back at the palace, the queen, thinkin that Snaw White must hae been eaten by wan o the crabbit bears by noo, couldna wait tae spier the magic mirror her question.

"Oh my braw wee lookin-glass,
Tell me wha's the bonniest lass."

"Roses are reid, violets are blue," said the mirror.

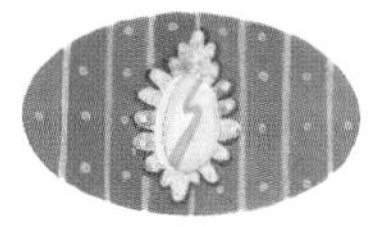

"Tell ye whit, hen – it isna you!"

"Mirror, mirror, you feelin awright?"

"Aye," the mirror said, "And the bonniest lass is still Snaw White."

"But Snaw White's deid. She's lyin in the glen."

"Naw, she's fast asleep at the dwarves' but n ben."

Hearin that, the queen's face turned blue then pink then purpie wi rage.

As angry as a byke o bees, she got haud o a big shiny reid aipple and dooked it in a bucket fou o poison. Then she dressed hersel up as an

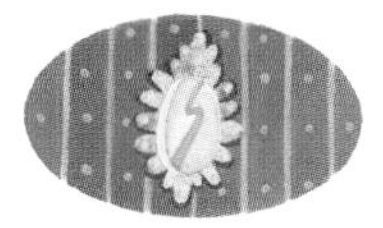

auld wife and gaed through the Babbarty Widd tae the dwarves' hoose. It wis dreich weather that day but the queen waited there in the pourin rain until Big Heid, Greetie, Luggie, Nebbie, Crabbit, Glaikit and Minger had left the hoose tae go tae work.

"Hi-ho, hi-ho,
It's aff tae work we go.
Hi-hey, hi-hey,
There's loads o work the day.
Hey-haw, hey-haw,
We're gaun tae shoot the craw,"

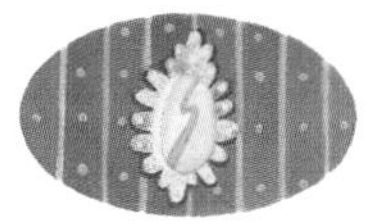

the seeven dwarves sang as they disappeared ower the brae.

When they were awa, the queen chapped on the door. It wis opened by the beautiful young Snaw White. The queen wis even mair furious when she saw hoo bonnie the lassie had become but she kept her anger tae hersel and smiled.

"Guid mornin, my dear. Where's aw your busy wee pals?"

"Och," said Snaw White. "They're diggin up mines and howkin canals."

"Would ye mind," said the queen, "if I come oot o the rain?"

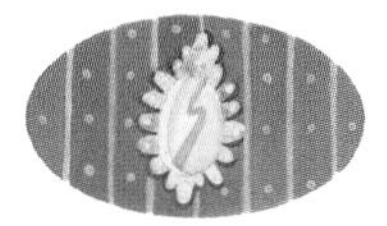

"Naw, Grannie," replied Snaw White. "Come in and dry oot. I'm here aw alane."

"On your ain? Whit a shame. C'moan, this'll
mak ye feel braw.
Jist tak this reid aipple and gie it a chaw."

And she offered Snaw White the big shiny reid aipple that she had dooked in the bucket o poison. The lass took yin bite oot o it and immediately drapped doon ontae the flair. The sleekit queen went back tae her palace grinnin fae lug tae lug thinkin that she had killed Snaw White.

When the seeven dwarves came hame, they

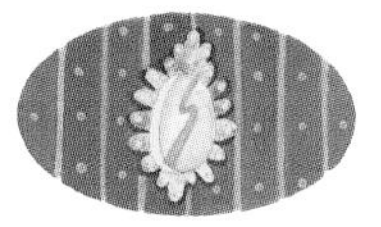

couldnae believe whit they saw.

"Whit has happened tae Snaw White fair?" cried Greetie.

"Why is she lyin doon there on the flair?" asked Luggie.

"Her een are closed. Her reid lips are still," said Nebbie.

"She doesnae look weel. She looks awfy ill," said Crabbit.

"My hert is full o a terrible dreid," declared Glaikit.

"Mine, too," sobbed Minger, "for Snaw White is deid!"

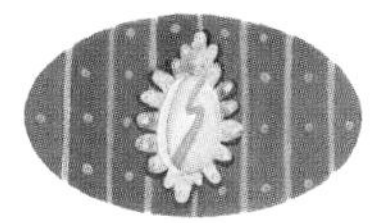

Then Big Heid, the auldest and wisest o the seeven dwarves, said,

"We must tak her oot tae the auld birk tree
And bury her there wi dignity."

And the dwarves picked Snaw White up and cairried her through the widd.

A prince frae anither land wis ridin by on a braw white cuddie. He saw the seeven wee men cairryin the beautiful lassie on their shooders through the forest.

"Stap, men. Haud it there. I canna let ye pass
Afore ye tell me the name o this bonnie young lass?"

And withoot waitin tae hear her name, the prince lowped doon fae his cuddie and kissed Snaw White on the lips. The dwarves werenae happy that the prince had kissed her withoot askin and a rammy broke oot amang them. But while they were aw arguin, the lassie opened her een. She hoasted and coughed and then boaked up the piece o the poisoned aipple.

When she wis weel again, Snaw White telt the prince aboot the sleekit queen. Wi the seeven dwarves as his sodgers, the prince battered doon the palace door and smashed the magic mirror intae a thoosand wee bitties.

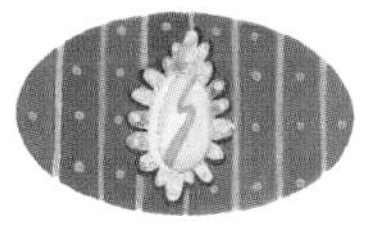

Snaw White and the prince were mairried and the dwarves – mind, that's Big Heid, Greetie, Luggie, Nebbie, Crabbit, Glaikit and Minger – were the best men, aw seeven o them, on Snaw White's royal weddin day.

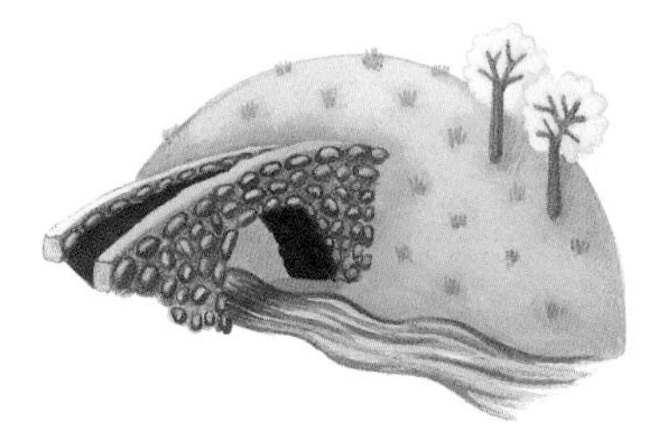

The Billy Goats Gruff

Lang lang ago in the days o lang syne, there were three billy goats cried Gruff and thae three billy goats' first names were Bairn, Bammy and Bawsey.

Bairn Billy Goat Gruff wis the wee-est o the three.

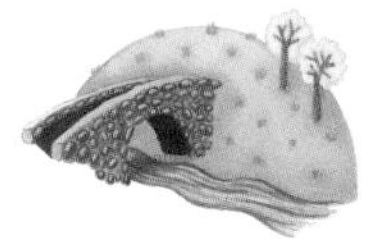

His brither, Bammy Gruff, wis a daft doolally goat that didnae ken which way wis up and which way wis doon.

And Bawsey Billy Goat Gruff wis a muckle big goat that wisnae feart at onythin at aw and spent maist o his time lookin efter his twa wee brithers.

And this Bairn, Bammy and Bawsey were hungry craiturs. They were aye stervin.

Their field wis fou o braw green gress and thae three hungry goats chawed that gress every mornin and every efternoon without even a break for a cup o tea until wan day there wis

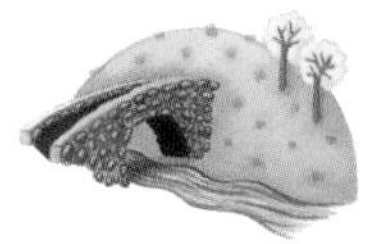

nae gress left tae chaw. So they started on the thistles and chawed thae thistles aw mornin and aw efternoon and aw nicht until there wis nae gress or thistles left in the field tae chaw, jist stoor and wee stanes.

Bairn Billy Goat Gruff ran aboot the field in a panic.

"I'm gonnae cry. I'm gonnae greet.
There's nothin mair for us tae eat."

But Bammy, his glaikit brither, wisnae worried at aw.

"It's no that bad. We're no that poor.
Whit aboot aw this lovely stoor?"

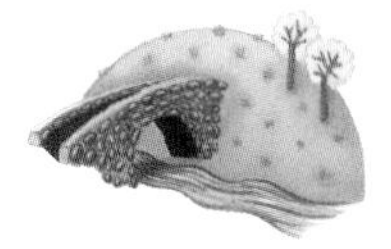

When Bammy Billy Goat Gruff started tae eat the dirt, Bawsey gave him a skelp in the lug.

"Spit that oot! Ye'll gie my guts a turn!
See, there's plenty gress across that burn."

And the three billy goats Gruff looked at the field that lay on the ither side o the burn and saw mile efter mile o lang lush juicy green gress.

Bairn's mooth filled up wi slavers. He lowped up intae the air wi excitement

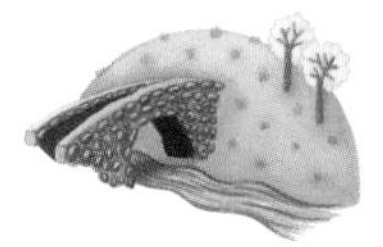

and ran tae the brig that crossed the burn. He wis halfway across the brig when he heard a loud and crabbit voice.

"Jammy pieces, jig-a-jig-jig,
Wha's that creepin ower my brig?"

A bowfin big troll wi teeth as sherp as breid knives and eyes the size o fitbaws climbed up fae the burn and grabbed Bairn Billy Goat Gruff by the lug.

"I am the big troll that bides in this stream.
And I'm gonnae eat you wi tatties and cream."

Bairn Billy Goat's knees started knockin thegither.

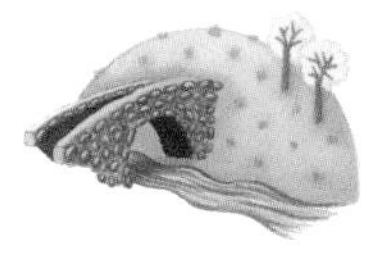

"Oh, Mr Troll, sir. I'm tottie and wee.
My brither's a bigger bite for your tea.
Wait on him. He'll be alang in the noo.
You'll hae mair meat wi him in your stew."

"Mair muckle than you? Is that so?
Then get aff my brig. Away ye go."

In a wee while, Bammy Billy Goat Gruff came stottin alang the brig that

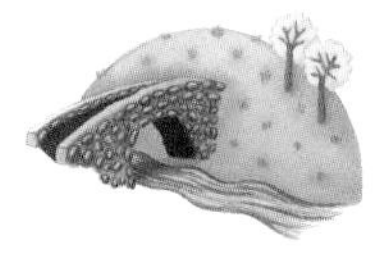

crossed the burn tae the field on the ither side.

"Jammy pieces, jig-a-jig-jig,
Wha's that stottin ower my brig?"

And the big bowfin troll lowped up fae the burn and grabbed Bammy by the lug.

"I am the big troll that bides in this watter
And I'm gaun tae eat you fried up in batter."

Bammy Billy Goat's teeth started chitterin.

"Oh, Mr Troll, sir. I'm glaikit and daft.
My heid's like a stane. It's no very saft.
Wait on my brither. He's soople and strang.
Wi him in your stew, you cannae go wrang."

"Mair tasty than you? That sounds braw.

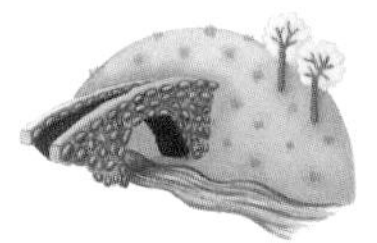

Get aff my brig then. Shoot the craw!"

In a wee while, Bawsey Billy Goat Gruff came daunderin ower the brig that crossed the burn tae the field on the ither side.

"Jammy pieces, jig-a-jig-jig,

Wha's that daunderin ower my brig?"

And the big bowfin troll lowped up fae the burn and grabbed Bawsey by the lug.

"I am the big troll that bides on this brig

And I'm gaun tae cut you up like a pig."

But Bawsey Billy Goat wisnae feart fae the troll.

"I jist see an eejit that wants tae herm me.

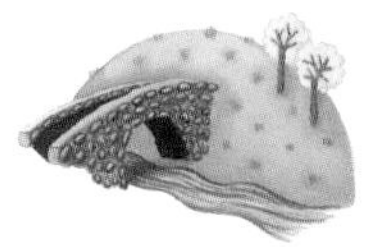

Weel, answer me this, pal. You and whose ermy?"

Bawsey Billy Goat Gruff pit his heid doon and chairged. He dunted the troll *skelp!* on the troll's big fat bahookie. The troll went a hunner feet intae the air and came doon *splash!* intae the cauld burn.

And so the three billy goats Gruff won tae the ither side o the brig and ate up aw the braw green gress until their bellies were roond and fou and boakin.

Wee Reid Ridin Hood

Lang lang ago in the days o lang syne, there wis a wee lassie that stayed in a hoose wi her mither on the edge o the muckle green forest.

This lassie ayeways wore a bright reid cloak wi a hood when she went oot, so everybody

cried her Wee Reid Ridin Hood.

Yin day her mither cawed Wee Reid Ridin Hood ben tae the kitchen and said,

"Poor Grannie Mutchie's no that weel –
She's in her bed and taen a peel.
I've baked a cake for her the day,
And here's a poke o aipples, tae.
Noo tak them tae her through the widd.
A visit fae you will dae her guid."

Wee Reid Ridin Hood pit the cake and the poke o aipples in her basket and pit on her reid cloak. Grannie Mutchie stayed on the ither side o the muckle green forest but Wee Reid Ridin Hood

didna mind. She aften walked alang the path tae Grannie's hoose and she loved tae stop and see the bonnie flooers and speak tae the wee craiturs that stayed amang the trees.

Jist as she wis closin the gairden yett, her mither cawed tae her through the windae.

"Mind noo, lass, and dinna daunder,
And frae the pathway dinna wander.
Go straight tae your Grannie Mutchie's hoose –
They say there's a wolf oot on the loose."

Wee Reid Ridin Hood skipped and ran alang the path through the muckle forest, cairryin the basket wi the cake and aipples in it. Efter a

while she stopped rinnin, and had a keek aboot.

"Hiya, hoolets! Hiya, doos!
Whit's your crack and whit's your news?

Hiya, squirrel, deer and brock!
Would ye like tae hae a talk?"

But the birds and craiturs were a bittie shy, and didna speak back tae her. Wee Reid Ridin Hood didna care. She forgot aw aboot whit her mither had telt her, and wandered aff the path tae pou some flooers for Grannie Mutchie. She pit doon her basket and foond some bonnie bluebells, and poued a hale bunch.

When she gaed back tae her basket, there wis a wolf standin aside it.

He wis an awfy handsome beast. He had sleek broon fur, and bright yella een, and lang claws

on his feet, and a muckle big smile on his face. Wee Reid Ridin Hood could coont aw his teeth, which were much bigger than her ain teeth. He had twenty-seeven, and they were as sherp as nails.

"Hello," the wolf said. "Whit's *your* name, my dear?

Dae ye reside somewhere roond here?"

"I stay wi my mither. There's jist her and me.

I'm cried Wee Reid Ridin Hood, cause my hood's reid and I'm wee."

"Oh, hoo lovely – I wance kent a man cried Hood.

Noo, whit brings ye here – are ye lookin for food?"

"I'm gaun tae my Grannie's. She's sixty year auld.

But she's awfy no weel, she's in bed wi the cauld.

I've brocht her a cake and some aipples and aw,

And this big bunch o flooers – look, are they no jist braw?"

"Awfy braw!" the wolf said. "Whit a lovely surprise!

I can jist picture the look in her eyes.

But ye shouldna be oot in the forest like this.

Let me show ye her hoose – I ken where it is."

Wee Reid Ridin Hood minded whit her mither had said.

"Thanks, but nae need," she said. "Guid efternoon.

I ken the wey tae, and I'll be there gey soon."

The wolf might hae tried tae keep her bletherin, but jist then he heard the chap-chap-chap o somebody cuttin widd wi an aix. A forester worked in the forest, and the wolf wis feart fae him. So the wolf said,

"Cheerio, hen,

I'll see ye again,"

and he slippit intae the trees.

Wee Reid Ridin Hood picked up her basket and hurried alang the path. But the wolf wis quicker. He arrived at Grannie Mutchie's hoose first. He chapped at the door.

An auld voice cawed oot, "Wha's there?"

The wolf pit on a wee squeaky voice and said,

"It's me, Wee Reid Ridin Hood, dinna keep me shut oot.

I've brocht ye a cake and some flooers and some fruit."

"Oh, ye're a darlin," Grannie said, "I feel such a wreck.

Jist come awa in, the door's aff the sneck."

The wolf gaed ben the hoose, shuttin the door ahint him, and there in the bedroom wis Grannie Mutchie sittin up in her bed. Afore she had time tae cry oot, he opened his mooth and ate her up. He wis in such a hurry tae finish afore Wee Reid Ridin Hood arrived that he didna even bather tae chaw, but swallied her doon in wan moothfae. He pit on her nicht-cap and her glesses, poued the curtains ticht tae mak the room dark, and lowped intae the bed. Then he lay there wi the covers up unner his chin, and waited.

Efter a while there wis a chappin at the door. The wolf pit on his best auld lady's voice and cawed oot, "Wha's there?"

And Wee Reid Ridin Hood said,

"It's me, Wee Reid Ridin Hood, dinna keep me shut oot.

I've brocht ye a cake and some flooers and some fruit."

"Oh, ye're a darlin," the wolf said, "I feel such a wreck.

Jist come awa in, the door's aff the sneck."

Wee Reid Ridin Hood came in and pit her basket on the kitchen table. She hadna even

closed the front door when the wolf said,

"Come ben, my darlin, and gie me a smile.

Come ben and sit wi your Grannie a while."

Wee Reid Ridin Hood gaed ben tae the bedroom.

"Hello, Grannie. Are ye feelin sair?

Och, it's awfy dark, and there's nae fresh air."

"Aye, I poued the curtains tae keep oot the licht.

Come closer so I can see ye richt."

Wee Reid Ridin Hood took a step closer tae the bed. It wis hard tae see much, but her Grannie smelt as if she needed a guid wash.

"Grannie," Wee Reid Ridin Hood said, "whit muckle lang lugs ye hae!"

"Aw the better tae hear ye wae,"

said the wolf. "Come a bittie closer."

Wee Rid Hood took anither step.

"Grannie, whit muckle big een ye hae!"

"Aw the better tae *see* ye wae,"

slaivered the wolf. "Jist come a wee bittie closer."

Wee Reid Ridin Hood stood richt next tae the bed.

"Grannie, whit muckle sherp teeth ye hae!"

"Aw the better tae *EAT* ye wae!"

said the wolf, and he threw aff the covers and caught Wee Reid Ridin Hood and swallied her doon in yin moothfae. Then he smacked his lips, dichted his face wi his tongue, and fell asleep in the bed.

Noo when the forester that worked in the muckle green forest wis lowsed for the day, he aye walked hame past Grannie Mutchie's hoose. On this day, he saw that the door wis wide open, which didna seem richt. He chapped at the door and got nae answer, so in he gaed. And there on the table wis Wee Reid Ridin Hood's basket wi the cake and the aipples and the flooers in it.

Z Z Z

"I ken that basket," the forester said. "Michty, that's queer.

It's Wee Reid Ridin Hood's, but *she* isna here."

He looked in the bedroom, which wis aw dark. When he opened the curtains a wee chink, he saw the wolf snorin fast asleep on the bed, and nae sign o Wee Reid Ridin Hood or Grannie Mutchie. But the forester saw that the wolf's belly wis fou tae burstin. He took oot a knife frae his belt, and he carefully cut open the wolf's belly. And there inside, aw squashed up and cooryin in thegither, were Wee Reid Ridin Hood and Grannie Mutchie.

The forester pit his finger tae his lips and they

crept oot the wolf's belly withoot wakin him. Then Wee Reid Ridin Hood gaed intae the gairden and gaithered up some big stanes. The forester pit the stanes inside the wolf's belly and Grannie Mutchie took her needle and threid and sewed the wolf back up again.

When everythin wis redd up, the forester opened the windae wide and stood at the door and shouted at the tap o his voice,

"Haw, Grannie, I'm hungry! Dae ye hae ony cakes?

I've been workin aw day chappin trees wi my aix."

The wolf woke wi a fleg, jumped oot the bed and lowped straight oot the windae. He ran and ran, but the stanes in his belly got heavier and heavier, till at last he came tae a burn in the middle o the muckle green forest. When he tried tae swim across it, the stanes made him sink tae the bottom, and he drooned.

Back at the hoose, Wee Reid Ridin Hood, Grannie Mutchie and the forester aw sat doon for an aipple and a big scliff o cake tae their tea.

And they aw lived happily ever efter.